Laura Hdez Acuña

TRATA A ~~LOS OTROS~~ LAS NUTRIAS

Para Rilynne.

Gracias a Mamá, Scott y Joan
por su apoyo y ánimo constantes.

Este libro habla de conejos y nutrias.

Dirección editorial: Patricia López
Coordinación de la colección: Karen Coeman
Cuidado de la edición: Pilar Armida y Obsidiana Granados
Formación: Maru Lucero y Ana Paula Dávila
Traducción: Pilar Armida

Trata a ~~los otros~~ las nutrias

Título original en inglés: *Do Unto Otters. A Book About Manners*

Editado por Ediciones Castillo por acuerdo con Henry Holt and Company, LLC, Nueva York, 10010, EUA.

Primera edición: noviembre de 2010
Cuarta reimpresión: abril de 2016

Insurgentes Sur 1886, Col. Florida.
Del. Álvaro Obregón.
C. P. 01030, México, D. F.

Ediciones Castillo forma parte del Grupo Macmillan.

www.grupomacmillan.com
www.edicionescastillo.com
infocastillo@grupomacmillan.com
Lada sin costo: 01 800 536 1777

Miembro de la Cámara Nacional
de la Industria Editorial Mexicana.
Registro núm. 3304

ISBN: 978-607-463-264-4

TRATA A ~~LOS OTROS~~ LAS NUTRIAS

Un libro sobre buenos modales

Laurie Keller

Castillo de la lectura

Tra
la
lá
tra la lá

Tralalá
tralalá...
tralalá...
Regreso a casa

Tra
la
lá
¡Plonk!
Casa
del señor
Conejo

Hola, señor Conejo.
Somos sus nuevos vecinos,
¡LAS NUTRIAS!

¿NUTRIAS?

¿NUTRIAS?

¿Mis nuevos vecinos son
NUTRIAS?
Menú

Pero yo no sé nada sobre nutrias.

¿Y si no nos caemos bien?

Señor Conejo, ¿no conoce el viejo refrán?

"TRATA A ~~LOS OTROS~~ LAS NUTRIAS COMO TE GUSTARÍA QUE ELLAS TE TRATARAN."

Y **eso**, ¿qué significa?

Que debes tratar a las nutrias de la misma manera en que desearías que ellas te trataran **A TI**.

¿Tratar a las nutrias tal como querría que ellas me trataran?

Mmm . . .

¿Cómo me gustaría que me trataran las nutrias?

¿Cómo ME gustaría...

... que las
NUTRIAS...

... me trataran
A MÍ?

Bueno, pues... me gustaría que las nutrias fueran **AMIGABLES**.

Saludar alegremente,

sonreír

y mirar directamente a los ojos

son gestos muy amigables.

Creo que ser amigable es muy importante –sobre todo después de haber tenido un vecino como el señor Grrrrrrrrr.

Me gustaría
que las nutrias fueran **EDUCADAS**.

Deberían saber cuándo decir

Por favor, continúa en la siguiente página.

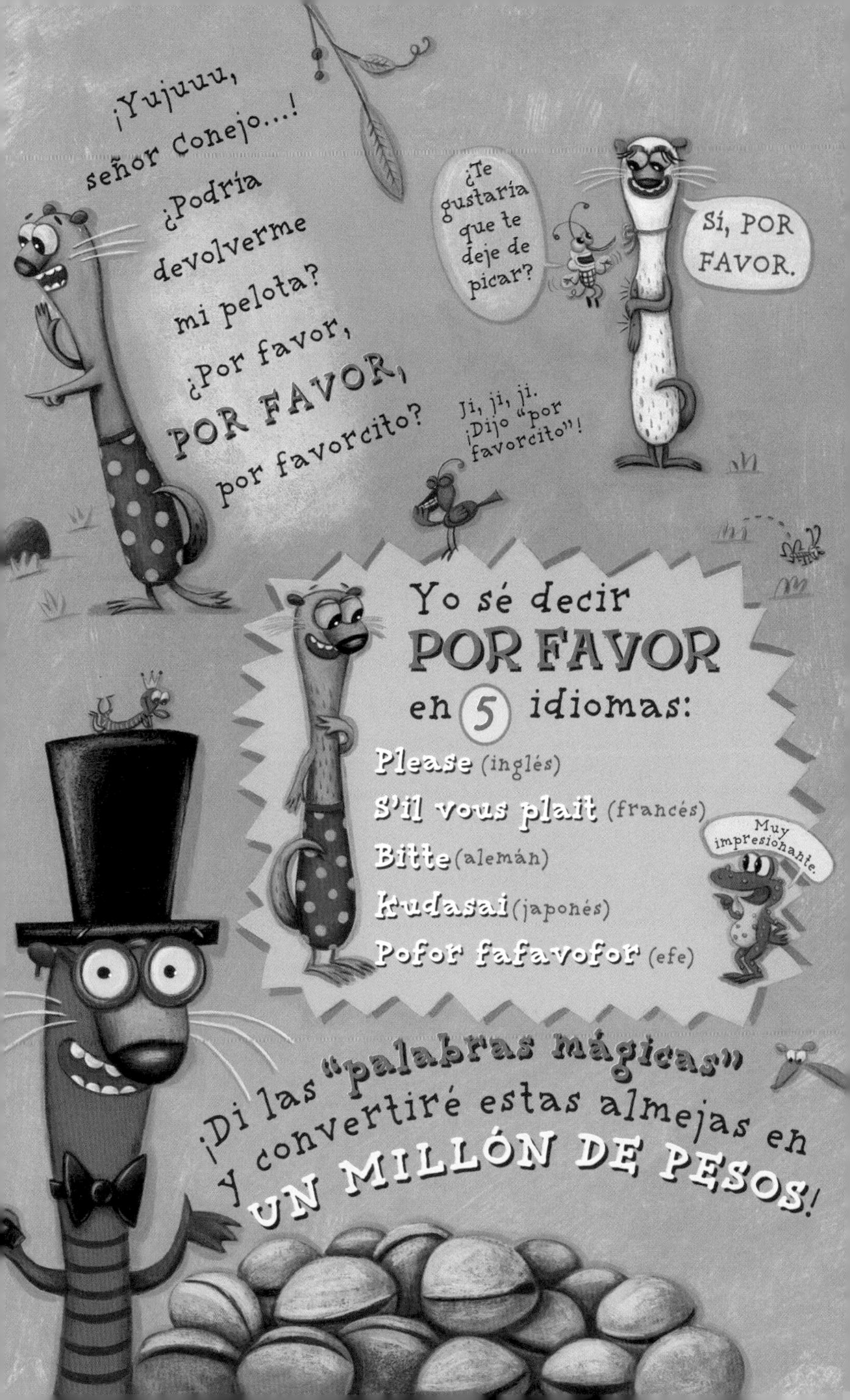
¡Yujuuu,
señor Conejo...!
¿Podría
devolverme
mi pelota?
¿Por favor,
POR FAVOR,
por favorcito?
¿Te
gustaría
que te
deje de
picar?
Sí, POR
FAVOR.
Ji, ji, ji.
¡Dijo "por
favorcito"!
Yo sé decir
POR FAVOR
en 5 idiomas:
Please (inglés)
S'il vous plait (francés)
Bitte (alemán)
Kudasai (japonés)
Pofor fafavofor (efe)
Muy
impresionante.
¡Di las "palabras mágicas"
y convertiré estas almejas en
UN MILLÓN DE PESOS!

También me gustaría
que siempre dieran las

Gracias por pasar a la página siguiente. (:

Bonito pico.
¡Gracias!
¿Quieres que te pique?
No, gracias.
Por favor toma mi tarjeta de pressssentación y llámame cuando estés lista.
Querido señor Conejo:
Muchísimas gracias por devolver mi pelota.
De seguro la devuelto muchas, porque lo hizo muy bien. ¿Sabe?
Mi pelota es muy rebotona, pero intentaré mantenerla bajo control.
Atentamente,
Sé decir GRACIAS en 5 idiomas:
Thank you (inglés)
Merci (francés)
Danke schön (alemán)
Arigato (japonés)
Grafaciafas (efe)
¡Genial!
¿Dijiste "por favor" o "qué mal olor"?

Y deberían saber
cuándo ofrecer una

DISCULPA.

¡PERDÓN!

¡Burp!

¡AY, PERDÓN!
¡Oh, señorita nutria!
Discúlpeme, señor Abeja, pero tengo que salir corriendo.
Puedo ofrecer DISCULPAS en 5 idiomas:
Excuse me (inglés)
Pardonnez-moi (francés)
Entschuldigen Sie mich (alemán)
Sumimasen (japonés)
Difiscufulpafamefe (efe)
¡Uuuy!
"¡PUAJ!" se dice igual en cualquier idioma.
¡Prrrrtttt!
Mmm... Funcionó perfecto durante el ensayo...
Disculpa que interrumpa tu lectura. Sólo quería mencionar que dijiste "por favor" y no "qué mal olor".

Las nutrias deberían ser

HONESTAS.

Eso quiere decir que deben

CUMPLIR SUS PROMESAS,

DECIR LA VERDAD

Y NO HACER TRAMPA.

Me gustaría que las nutrias fueran **CONSIDERADAS.**

Ya sabes...

Siempre es bueno tener un vecino considerado.

No estaría mal que las nutrias fueran **AMABLES**.

Todos apreciamos los pequeños detalles (por más apestosos que sean).

¿Y cuál es esa otra palabra...?

¡COOPERATIVOS!

Sería muy importante que a las nutrias les gustara cooperar.

CO-operar: trabajar en conjunto para conseguir un fin.

Veo que
a las nutrias
les gusta jugar.
¡Wiiiiiii!

Espero que
también sepan
jugar LIMPIO.
¡Vengan a jugar con nosotros!
REGLAS
de juego de
las nutrias:
Ser buen compañero.
Seguir
las
reglas.
Jugar
limpio.
Tomar a todos
en cuenta.
(Incluso a las
abejas.)
¡Ganaste!

Me gustaría que

COMPARTIÉRAMOS

nuestras cosas,
como por ejemplo...

... nuestros libros favoritos,

nuestros juegos favoritos,

y nuestros platillos favoritos.

(Mmm... tal vez compartir nuestros platillos favoritos no sea tan buena idea.)

Espero que las nutrias no se **BURLEN** de mi canción,

ni de mis enormes aletas para nadar,

ni de mis conojeras.

Espero que las nutrias no se burlen de **NADIE** ni de **NADA**.

Creo que las nutrias deberían reconocer **SUS** errores.

Y espero que también sepan perdonar si YO me equivoco.

Así es como
me gustaría
que las nutrias
me trataran.

¿Ya lo ve,
señor Conejo?
¡Le dije que
era muy sencillo!

¡EXACTO!

Sólo trata

TRA LA LÁ

a las nutrias TRA LA LÁ

como te gustaría que las nutrias

TRA LA LÁ

te tratatralalaran a TI!

Impreso en los talleres de
Grupo Gráfico Editorial, S.A. de C.V.
Calle B núm. 8, Parque Industrial Puebla 2000,
C.P. 72225, Puebla, Pue.
Abril de 2016.